Este libro pertenece a:

....

Traducción: María Mercedes Castro Valdez
Edición, armado y adaptación de diseño: María Inés Linares
Colaboración editorial: Cristina Alemany - Angélica Aguirre -
Lucía Gonçalves da Cruz
Contenidos: Sarbacane Création
Diseño: Sarbacane Design, Pascaline Charrier

Título original: *Le manuel des filles*
© 2004 Editions Nathan

© 2009 V&R Editoras
www.libroregalo.com

ARGENTINA: Demaría 4412 (C1425AEB) Buenos Aires
Tel./Fax: (54-11) 4778-9444 y rotativas
e-mail: editoras@libroregalo.com

MÉXICO: Av. Tamaulipas 145, Colonia Hipódromo Condesa
CP 06170 - Delegación Cuauhtémoc, México D. F.
Tel./Fax: (5255) 5220-6620/6621 • 01800-543-4995
e-mail: editoras@vergarariba.com.mx

ISBN: 978-987-612-178-1

Impreso en Argentina por Casano Gráfica S. A.
Printed in Argentina

Fuentes Mixtas
Grupo de producto de bosques bien
manejados y otras fuentes controladas.
www.fsc.org Cert. no. SGS-COC-005905
© 1996 Forest Stewardship Council
FSC

Création, Sarbacane
Art&Manías para chicas creativas: moda, arte, belleza, cocina y otras actividades divertidas
Sarbacane Création; ilustrado por Colonel Moutarde.
1ª ed. - Ciudad Autónoma de Buenos Aires: V&R, 2009.
64 p.: il.; 28x22 cm.

Traducido por: María Mercedes Castro Valdez

ISBN 978-987-612-178-1

1. Manualidades. I. Moutarde, Colonel, ilus. II. Castro Valdez, María Mercedes, trad.
III. Título
CDD 745

Art&Manías
para chicas creativas

1

Moda, arte, belleza, cocina y otras ideas divertidas

Ilustraciones: Colonel Moutarde

V&R
EDITORAS

¡Hola! Somos cuatro amigas

Te enseñaremos a realizar todas las actividades de este libro

Soy Julieta

y me apasiona la moda.
Me gustan los accesorios bonitos,
las prendas ultramodernas
y organizar las fiestas
más originales.

Me llamo Lulú

y soy la intelectual
del grupo. Todo me interesa
y despierta mi curiosidad:
la decoración, la cocina,
los experimentos… Me gusta
aprender y compartir
mis descubrimientos
con mis amigas.

curiosas, divertidas y creativas

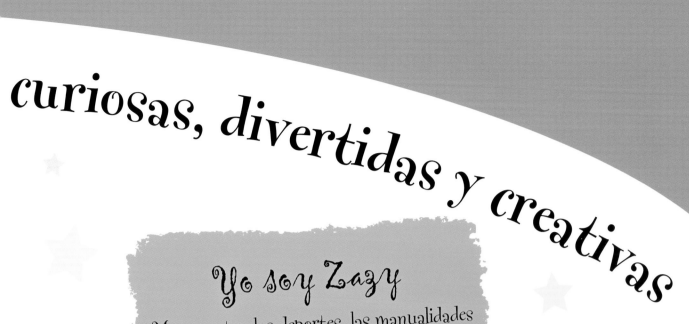

Yo soy Zazy

Me encantan los deportes, las manualidades y todos los juegos que me permitan usar mi imaginación. Siempre tengo nuevas ideas para probar.

Me llamo Cleo

y amo la naturaleza.
Un paseo por el bosque,
un picnic en la playa
o una tarde en el jardín
cuidando las plantas
me hacen feliz.

Deco-Vaca

Crea y decora objetos súper originales en estilo "vacuno"

Un pizarrón muuuy práctico

Puedes colgarlo cerca de tu escritorio para exhibir fotos, dibujos o mensajes

1 Recubre los bordes del Foamboard con cinta adhesiva blanca para que se vean detallados y prolijos.

2 Observa bien el dibujo y reproduce en una hoja de papel las orejas (cada una tiene 2 partes) y los cuernos. Recórtalos y utilízalos como plantillas.

NECESITAS:
- Foamboard/cartón pluma de 1 cm de espesor (40 x 40 cm)
- Cinta adhesiva blanca
- Goma EVA/Foamy negra, rosa y amarilla
- 1 compás
- 2 ojos móviles
- Pegamento multiusos
- Cinta adhesiva de doble cara o un gancho pequeño para colgar cuadros

3 Usando las plantillas, recorta 2 cuernos en la goma EVA amarilla, 2 orejas grandes en color negro y 2 pequeñas en color rosa.

4 Traza con el compás un semicírculo de 25 cm de diámetro en la goma EVA rosa y recórtalo, para hacer el hocico.

5 Pega las orejas rosadas sobre las negras.

6 Ubica las orejas, los cuernos y el hocico sobre el Foamboard como se ve en el dibujo, y pégalos con pegamento multiusos.

7 Recorta en la goma EVA negra el copete, 2 círculos pequeños para los orificios nasales y manchas de distintos tamaños y formas.

8 Pégalos en el cartón con pegamento, al igual que los 2 ojos móviles.

9 Fija tu pizarrón a la pared con la cinta doble cara, o pégale en la parte posterior un gancho pequeño que te permita colgarlo de un clavo.

¡Cuelga tus fotos y notas con alfileres!

Decoración

ADORNO PARA PANTALÓN

1 Recorta en la tela blanca dos tiras de 7 cm de ancho y de un largo igual al contorno inferior de las piernas de tu pantalón, a la altura del dobladillo o ruedo.

2 Retira el papel de protección de la entretela autoadherible. Fija la tela negra en ella con la plancha caliente (pide ayuda para usarla).

3 Recorta formas de manchas.

4 Retira el papel de protección de la otra cara de la entretela y pega, nuevamente con la plancha, las "manchas" sobre las tiras blancas.

5 Por último, cose las tiras a tu pantalón, para que te quede como se ve en el dibujo.

NECESITAS:
- Tela de algodón gruesa negra y blanca
- Entretela autoadherible de doble cara

Caja

1 Pinta de blanco toda la caja y deja secar.

2 Una vez seca la pintura blanca, pinta las manchas negras y un par de ojos en la tapa. Asegúrate de dejar un espacio vacío para el hocico.

3 Recorta la forma de un hocico en el cartón. Píntalo de rosa y dibújale 2 orificios negros.

4 Pega el hocico en la tapa.

NECESITAS:
- 1 caja redonda de madera
- Pintura acrílica negra, blanca y rosa
- 1 trozo de cartón

TAZÓN

NECESITAS:
- 1 tazón blanco
- Pintura negra para porcelana

Con un pincel, pinta manchas negras en el exterior del tazón. Atención, ¡no lo laves sin antes asegurarte de que la pintura que has usado sea a prueba de agua!

NECESITAS:
- Un par de zapatillas/ tenis de tela blanca
- Cordones/agujetas de color negro
- Pintura para tela, de color negro
- Un retazo de fieltro rosa

Zapatillas o tenis

Con un lápiz, dibuja el contorno de las manchas sobre tus tenis. Píntalas con un pincel y pintura negra. Deja secar y fija el color pasando la plancha caliente (pide ayuda). Recorta en el fieltro rosa 2 hocicos y abróchalos o pégalos en los extremos de los cordones o agujetas.

¡A TUS ÓRDENES!

Si necesitas pasar media hora organizando tu escritorio antes de poder usarlo, aquí tienes la solución a tu problema. Haz un pequeño mueble con cajones para tener todo en orden y al alcance de tu mano.

¡Todo encaja!

NECESITAS:

- 3 cajas de zapatos del mismo tamaño (sin las tapas)
- Cartón de embalaje (el más grueso y resistente que consigas)
- Cinta adhesiva de papel (*masking tape*)
- Pegamento blanco
- Papel de seda/papel China (de 3 colores diferentes)
- 6 ojalillos metálicos
- 3 cintas de los mismos colores que los papeles que elijas, de 30 cm de largo
- Pintura acrílica blanca

Para calcular las dimensiones de tu mueble, anota las siguientes medidas:

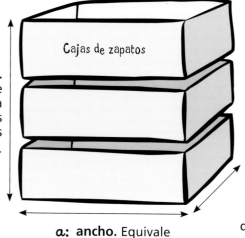

Cajas de zapatos

h: altura. Equivale a la altura de las 3 cajas superpuestas + 4 cm.

p: profundidad. Equivale a la profundidad de una caja + 1 cm.

a: ancho. Equivale al ancho de una caja + 2 cm.

① Recorta en el cartón de embalaje:

- 2 rectángulos de h x p para los costados
- 4 rectángulos de a x p; 2 de ellos serán las partes superior e inferior, y los otros 2 serán los estantes interiores
- 1 rectángulo de h x a para el fondo

② Ensambla la estructura exterior pegando las láminas de cartón entre sí con pegamento.

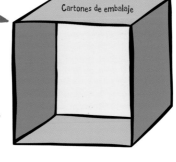

Cartones de embalaje

③ Marca con lápiz las divisiones interiores del mueble. Asegúrate de que queden 3 partes iguales. Guiándote por las marcas que has hecho, pega los 2 estantes interiores. Si lo deseas, puedes pegar unas varillas finas del mismo cartón o de madera, debajo de cada uno, para que queden más firmes.

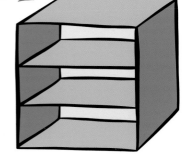

④ Refuerza todas las uniones por dentro con bastante cinta adhesiva de papel.

5 Extiende pegamento sobre una de las cajas de zapatos por dentro y por fuera, y recúbrela con papel de seda. Alisa bien para evitar que se formen arrugas.

6 Haz lo mismo con las otras 2 cajas, pero elige colores diferentes.

7 Haz 2 agujeros pequeños, uno junto a otro (dejando un espacio entre ambos de aproximadamente 5 cm), sobre el frente de cada caja. Coloca los ojalillos metálicos para que queden parejos.

8 Desliza las cintas a través de los ojalillos y ata los extremos en el interior de los cajones para hacer las manijas. No las ajustes demasiado en la parte frontal, para poder tomarlas con tus dedos.

9 Pinta de blanco la estructura exterior del mueble (tal vez necesites colocar 2 capas de pintura; si es así, espera hasta que seque la primera antes de pasar la segunda). Una vez seca la pintura, coloca los cajones en los estantes.

TUS CAJONES SECRETOS

Para esconder tus recuerdos personales, agendas, cartas...

TUS CAJONES DE ESTUDIO

Sólo para los elementos de la escuela.

TUS CAJONES DE BELLEZA

Para guardar tus collares, brazaletes y toda clase de accesorios.

¡En los baúles!

¿Sabías que en la Edad Media no existían los armarios, ni las cómodas, ni los estantes? Todas las pertenencias se amontonaban en grandes baúles: la ropa, la vajilla, el dinero, los documentos importantes. El baúl era el mueble más útil, junto con la cama.

A LA VUELTA DE UN PASEO...

¿Te gusta anotar tus sensaciones o dibujar lo que has visto? Entonces, te servirá tener siempre a mano un cuaderno o bloc de notas personalizado.

Un cuaderno de notas muy "gaviota"

NECESITAS:
- 1 cuaderno (de 15 x 21 cm, aproximadamente)
- 1 hoja de papel reciclado
- 1 hoja de cartulina blanca
- 1 blíster pequeño (puede ser, por ejemplo, de un envase de baterías) o 1 trozo de acetato o plástico transparente
- Arena
- Tiza/gis azul
- Caracoles pequeños
- Pintura blanca, amarilla y negra
- 1 esponja pequeña
- Pegamento blanco

1 Corta un trozo de papel reciclado del mismo ancho que la tapa del cuaderno, y de 1 cm menos de alto.

2 Recorta en el centro del papel reciclado un agujero rectangular del mismo tamaño que el interior del blíster.

3 Pega los bordes del blíster sobre los bordes del agujero, en el reverso del papel.

4 Coloca un poco de arena y los caracoles dentro del blíster.

5 Para evitar que la arena y los caracoles se salgan, pega encima una hoja de cartulina.

reverso del papel

blíster

cartulina

arena coloreada

PATRÓN GAVIOTA

Tip: para colorear la arena, mézclala con la tiza azul previamente rallada.

6 Pega todo sobre la tapa del cuaderno.

7 Cala en una hoja de cartulina la forma de la gaviota (usa el dibujo como modelo), para hacer una plantilla o molde.

8 Coloca la plantilla sobre la tapa del cuaderno y, con una esponja pequeña mojada en pintura blanca, rellena el interior. Haz 2 filas de gaviotas de esta manera.

9 Una vez seca la pintura blanca, pinta los picos de amarillo y los ojos de negro usando un pincel fino.

OTRA LIBRETA DE VIAJE

Una decoración original... y natural

NECESITAS:

- Flores y hojas que hayas recolectado
- 1 palillo o rama pequeña
- 1 pluma
- 1 libreta con espiral
- Papel adhesivo transparente
- Pegamento en barra
- Hilo de cáñamo/piolín
- Alambre de latón

1 Deja secar las flores y hojas entre dos páginas de un libro grueso y pesado (ten paciencia: pueden tardar varios días en secarse del todo).

2 Una vez secas, pégalas sobre la tapa de tu libreta, con toques ligeros de pegamento en barra (no las presiones mucho al fijarlas, porque pueden romperse).

3 Recubre la tapa con el papel adhesivo transparente.

4 Coloca el palillo o la rama pequeña dentro de la espiral de la libreta.

5 Para hacer un separador, ata el hilo en el extremo superior del palillo y luego, con el alambre de latón, fija la pluma en el otro extremo del piolín.

Almohadones mullidos

Dos modelos, suaves al tacto y agradables a la vista.
El regalo ideal para hacerle a una amiga.

UN ALMOHADÓN PATO

1 Amplía las formas del patrón en una fotocopiadora; ten en cuenta que el cuerpo debe ocupar el formato de una hoja de tamaño A3.

2 Recorta todas las partes para copiarlas en la tela de felpa o peluche.

PATRÓN

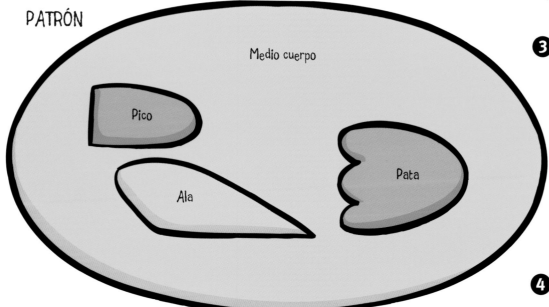

Medio cuerpo

Pico

Ala

Pata

3 Dibuja con el marcador o la tiza de costurera en la tela amarilla 4 veces el ala y 2 veces el óvalo del cuerpo. En la felpa naranja, marca 4 veces la pata y 2 veces el pico.

4 Recorta todos los elementos.

5 Cose las patas, el pico y las alas de a pares, derecho con derecho, a 1 cm del borde, dejando una abertura en cada pieza. Vuelve del derecho cada parte (como si dieses vuelta un calcetín) y ciérralas con puntadas muy pequeñas.

6 Cose juntos los 2 óvalos del cuerpo, derecho con derecho, y deja también una abertura en un extremo.

7 A la altura del cuello (aproximadamente 1/3 del óvalo), haz unas puntadas grandes usando el hilo elástico (atención, no cosas entre sí ambas mitades del cuerpo).

Deja una abertura

8 Tira del elástico para fruncir la tela y formar la cabeza. Da vuelta el cuerpo para que quede del derecho (como hiciste antes con las otras piezas) y rellénalo con guata. Fija la forma de la cabeza anudando los extremos del hilo elástico y sujeta el nudo con un par de puntadas.

9 Coloca el pico en la abertura que quedó en la cabeza, y cierra con puntadas muy pequeñas. (El pico debe coserse entre las 2 piezas de tela amarilla.)

10 Cose las patas y las alas sobre el cuerpo tomando un solo borde, para que queden sueltas (fíjate en el dibujo). Cose los botones para hacer los ojos.

Un cojín-corazón

Cálido y romántico, para decorar tu cama.

NECESITAS:
- Terciopelo rojo (35 x 70 cm)
- 3 m de cinta/listón de satén rosa de 25 mm de ancho
- 1 m de hilo de bordar rosa
- 1 aguja grande
- Hilo de coser de color rojo
- Copos de goma espuma o guata para rellenar

1 Confecciona el patrón en una hoja de papel de periódico plegada, dibujando la mitad de un corazón (observa el modelo). Recórtalo.

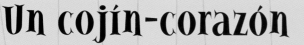

15 CM

papel plegado en 2

30 CM

2 Pliega el terciopelo por la mitad y sujeta el patrón con alfileres. Recorta alrededor, a 1 cm de los bordes.

Terciopelo doble

3 Enfrenta los 2 corazones de tela, derecho con derecho, y cose con el hilo rojo a 1 cm de los bordes. Deja una abertura de aproximadamente 10 cm en la parte superior.

4 Da vuelta el corazón para que el terciopelo quede al derecho y rellénalo con los copos de goma espuma o guata. Termina de coser el borde superior con puntadas pequeñas.

5 Con el hilo rosa, realiza un ribete de onditas a lo largo del contorno. Para esto, tienes que hacer una puntada cada dos centímetros, dejando el hilo un poco flojo.

6 Recorta la cinta de satén en tiras de 10 cm de largo. Anúdalas a las onditas de hilo. Decora todo el contorno del almohadón de esta manera.

¿Víctima de la moda?

¿Te fascina el mundo de las top models, o jamás le prestas atención a la ropa que usas?

Los colores que te sientan bien

Descubre rasgos de tu personalidad a partir de tus colores preferidos, y elige aquellos que te quedan bien según el tono de tu cabello y de tu piel.

Excéntrica, exuberante

y rebosante de energía

RESPLANDECIENTE, ARTISTA

Y LLENA DE IMAGINACIÓN

Tranquila, romántica

y algo soñadora

Equilibrada, generosa
y un poco misteriosa

PARA LAS MORENAS
de tez mate:
- verde esmeralda
- amarillo fuerte
- rojo carmín

de tez clara:
- azul glaciar

PARA LAS PELIRROJAS
de tez mate:
- verde kaki
- amarillo azafrán

de tez clara:
- amarillo oro

PARA LAS RUBIAS
de tez mate:
- azul lavanda
- rojo anaranjado

de tez clara:
- verde pálido
- azul menta

TEST

Para saber si eres una "adicta a la moda", responde las siguientes preguntas:

A **Este verano, el color rosa es protagonista. ¿Lo adoptas?**

◇ No, odias ese color. Prefieres seguir usando tus prendas del verano pasado.

▷ Te gusta más el verde manzana, pero agregas a tu guardarropa algunos accesorios rosados.

○ Renuevas todo tu vestuario para estar a tono.

B **Necesitas calzado deportivo nuevo. ¿Cuál eliges?**

○ El de la marca más famosa; si no, ¡nada!

◇ El más barato: de cualquier modo, se gastará rápidamente.

▷ Cualquiera que tenga cordones o agujetas que puedas cambiar a tu gusto.

C **Esta Navidad, pedirás como regalo:**

▷ Un suéter tejido por tu abuela.

○ Una chaqueta igual a la que lleva tu top model preferida.

◇ Un libro sobre diseño de moda.

Suma tus puntos:

◇ = 1 punto ▷ = 2 puntos ○ = 3 puntos

Si tienes 7 o más:

Tu look es muy importante para ti. ¡Qué bonito es estar bien vestida! Pero recuerda que a la gente no se la aprecia sólo por las prendas que usa...

Si tienes 5 ó 6:

Te encanta la moda cuando se adapta a tu gusto; si no, prefieres inventar tus propios conjuntos en vez de usar lo mismo que todo el mundo. ¡Felicitaciones! Eres muy original.

Si tienes 4 o menos:

Ante todo, eliges la comodidad; la moda no te interesa. Vamos, haz un pequeño esfuerzo: estar bien vestida significa ocuparte de ti misma, ¡y eso es bueno para tu autoestima!

BELLA AQUÍ, FEA ALLÍ

¿Crees que lo ideal es ser rubia de ojos azules y delgada como una escoba? No te engañes. Cada región tiene diferentes conceptos de belleza. En el norte de África, por ejemplo, prefieren a las mujeres gorditas, ya que las consideran más seductoras. En Japón, lo top es tener grandes pantorrillas y senos pequeños. ¿Qué te parece si aprovechas tus pecas como parte de tu encanto?

La viDa en azul

¿Quieres modernizar tus viejos jeans?
Aquí tienes ideas para renovar tu look.

NECESITAS:
- 1 pantalón de jean/mezclilla
- 1 tijera
- 1 tiza de costurera o marcador de telas
- 1 hilo de lentejuelas o cuentas de colores
- Hilo de coser
- 1 aguja

VERSIÓN FLORIDA

El pantalón

1 Estira tu jean sobre una superficie plana y traza con un lápiz o tiza de costurera 2 puntas idénticas, orientadas hacia abajo, a la altura de la mitad de la pantorrilla.

2 Corta la tela por las marcas, y luego haz flecos en los bordes deshilando la tela.

3 Cose el hilo de lentejuelas o cuentas a 1 cm del borde.

4 Coloca también alrededor de los bolsillos delanteros otras dos tiras de lentejuelas o cuentas.

NECESITAS:
- 1 trozo de cartón que quepa dentro de una pierna de tu pantalón

PARA CADA FLOR:
- 6 lentejuelas o cuentas de un color
- 1 lentejuela o cuenta de otro color
- Hilo de coser del mismo color que las lentejuelas o cuentas
- 1 aguja
- Hilo de bordar de un color contrastante

Las flores

1 Desliza el cartón dentro de una pierna del pantalón para separar el frente y el dorso y no coserlos entre sí.

2 Cose primero la lentejuela del centro de la flor, y luego las otras 6 alrededor, para formar los pétalos.

3 Haz varias flores, no muy alejadas una de otra. Luego únelas en una guirnalda con un pespunte, usando el hilo de bordar.

UNA DIADEMA DE JEAN

1 Recorta en la tela de jean dos franjas de 6 x 55 cm.

NECESITAS:
- 1 retazo de tela de jean/ mezclilla
- Lentejuelas
- Cinta velcro/abrojo
- Hilo de coser amarillo

2 Estíralas una sobre otra, derecho con derecho, y cóselas a lo largo por ambos lados, a 5 mm del borde.

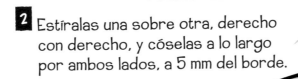

3 Da vuelta la tela para que quede del derecho y plánchala (pide ayuda para hacerlo). Luego, haz un pequeño dobladillo en los extremos, y cierra con puntadas pequeñas.

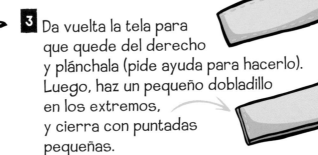

4 Cose un pespunte con el hilo amarillo en los bordes para imitar las costuras del jean.

5 Corta 5 cm de cinta velcro. Cose una parte en cada extremo de la diadema. Atención: coloca un trozo del derecho y uno del revés; si no, no podrás cerrarla (observa el dibujo).

Coloca la diadema por encima de tu frente y ajústala a tu cabeza. Ciérrala con la cinta velcro.

6 Dibuja y recorta 4 flores en la tela de jean sobrante.

7 Cose una lentejuela en el centro de cada flor y, por último, las flores sobre la diadema.

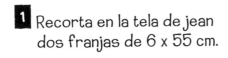

Transforma tus

Las camisetas blancas son bonitas, pero un poco aburridas… En un abrir y cerrar de ojos, personalízalas con diseños exclusivos.

Camiseta acuario

Haz una camiseta que te recordará tus mejores aventuras marinas

NECESITAS:
- Plástico transparente (puede ser como el que se usa para proteger los manteles)
- Goma EVA/Foamy azul
- 1 camiseta blanca
- Hilo
- Máquina de coser (pide ayuda para usarla)

1 Recorta 2 piezas de plástico transparente con la forma que ves en el dibujo 1. Cóselas entre sí en los 3 bordes rectos, con el punto zigzag de la máquina de coser. Te quedará como un sobre o funda.

2 Recorta pececitos de tamaños diferentes en la goma EVA azul. Colócalos dentro de la funda de plástico.

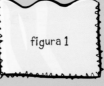

figura 1

3 Cose la parte superior, también con punto zigzag, siguiendo la forma de la ola.

4 Fija el plástico sobre tu camiseta con puntadas pequeñas.

Variante: puedes agregar pequeñas piedras.

NECESITAS:
- 1 camiseta blanca
- 1 trozo de plástico transparente del tamaño de tu camiseta (puede ser como el que se usa para proteger los manteles)
- 1 bolígrafo
- Pintura para telas
- 1 pincel
- 1 hoja de cartón flexible del tamaño de tu camiseta

CAMISETA PINTADA

1 Apoya la camiseta sobre el plástico transparente y dibuja el contorno con un bolígrafo. Luego, retírala.

2 Pinta diseños (corazones, flores, estrellas…) sobre el plástico, dentro del contorno que has marcado. Usa abundante pintura para telas.

3 Desliza el cartón flexible dentro de tu camiseta, para no pintar el dorso.

4 Apoya la delantera sobre los motivos pintados, antes de que se seque la pintura. Presiona suavemente.

5 Levanta con cuidado la camiseta. Déjala secar bien estirada sobre una superficie plana. Una vez seca, plánchala por el revés para fijar los colores (pide ayuda para usar la plancha).

camisetas

CAMISETA DE ESTACIÓN

Decórala y modifícala a tu antojo según la época del año

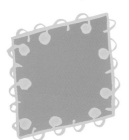

NECESITAS:
- Fieltro de 3 colores diferentes
- Cinta velcro/abrojo
- Lentejuelas redondas doradas
- Hilo de bordar de color
- Pegamento multiusos

1 Recorta en el fieltro 6 cuadrados de 7 cm de lado (2 de cada color). Cóselos de a 2 con hilo de color. Enhebra las lentejuelas entre puntada y puntada (una vez sí, una vez no). Utiliza distintos colores de hilo para cada cuadrado.

2 Recorta en el fieltro la flor y su centro, la hoja y el pino. Pega los motivos en cada cuadrado con pegamento. Puedes bordar las nervaduras de la hoja.

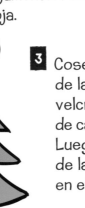

3 Cose o pega un trozo de la parte suave de la cinta velcro en el reverso de cada una de tus decoraciones. Luego, cose un cuadrado de la parte áspera de la cinta en el centro de tu camiseta.

4 De este modo, puedes cambiar el diseño cada vez que lo desees. También puedes poner los tres motivos a la vez (en ese caso, deberás coser tres trozos de la parte áspera de la cinta velcro en la camiseta).
Atención: no olvides quitar los adornos antes de lavarla.

Comer bien para

¿Conoces las reglas de una buena alimentación?
Sigue estos consejos y adopta 5 hábitos
saludables… ¡para toda la vida!

Las 5 reglas de oro

1 No omitas ninguna comida

¡No adelgazarás sólo por saltearte el almuerzo!
Por el contrario, si no comes, tu organismo almacenará el alimento para evitar que le falte energía. Las 4 ó 5 comidas diarias son exactamente lo que necesitas para funcionar "a toda máquina".

2 Come de todo

Productos lácteos, pastas, carnes, frutas, pan, verduras: tu alimentación debe ser variada para que a tu cuerpo no le falte nada. También puedes saborear (de vez en cuando, y con moderación) una porción de pastel de chocolate o un plato de patatas fritas.

3 Elige alimentos livianos para la cena

Durante la noche, casi no gastas energías. Reserva, entonces, tu apetito para la "comida reina" (a la mañana) y para la "comida princesa" (al mediodía).

4 Prohibido "picotear"

Un puñado de galletas una hora después del almuerzo… Una barra de chocolate justo antes de la cena… **Comer fuera de tus horarios habituales desorganiza el ritmo de tu apetito:** ¡ya no sabes cuándo realmente tienes hambre!

5 Tómate tu tiempo

La duración mínima recomendada para una comida es de media hora. Si quieres tener una buena digestión, trata de masticar bien cada bocado. ¡Y recuerda que, cuando comes demasiado rápido, vuelves a sentirte hambrienta más pronto!

sentirse bien

PANCITOS PERSONALIZADOS

¿Has invitado a tus amigas a almorzar? Prepara un pan para cada una, y "escribe" sobre ellos las iniciales de sus nombres.

NECESITAS:
- 1 kg (35 oz) de harina
- 14 o 15 g (¾ oz) de levadura seca
- 2 cucharaditas rasas de sal
- ½ litro de agua tibia
- 100 g (3 ½ oz) de manteca/ mantequilla

1 Coloca la harina, la levadura y la sal en un bol o tazón formando una corona.

2 En el centro de esta corona, vierte el agua tibia de a poco y mezcla bien hasta obtener una masa. Integrar aunque aún esté un poco dura.

3 Agrega la manteca ablandada, mezcla y amasa con las manos varios minutos hasta obtener un bollo bien liso, el que envolverás con un trapo limpio.

4 Dejar levar durante 2 horas hasta que crezca al doble de su volumen, en un lugar cálido si es posible (cerca del horno encendido, por ejemplo).

5 Separa tu masa en trozos (reserva uno para hacer las letras) y forma con ellos bollitos no muy pequeños, como para poder escribir una inicial encima de ellos.

6 Forma tiras con la masa sobrante y aplánalas con el palo de amasar; arma con ellas las iniciales de los nombres que quieras escribir y pégalas con un poco de agua sobre cada bollo.

7 Déjalos descansar una hora más.

8 Coloca los panes sobre una fuente de horno y cocínalos durante 15 minutos a temperatura caliente. Luego, baja a temperatura media y hornéalos durante otros 30 minutos.

9 Déjalos enfriar antes de servirlos.

TIP
Para variar los sabores, puedes rellenar tus pancitos con...
- Aceitunas
- Cebolla
- Hierbas aromáticas
- Tocino

¡A la mesa!

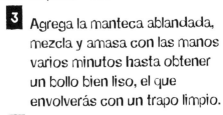
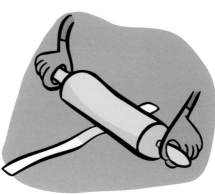

Delicias saladas

Fáciles de hacer e ideales para servir como entrada o como plato principal, las tartas saladas y las pizzas deben figurar, sin lugar a dudas, en tu cuaderno de recetas

ORGANIZA TU "PIZZA PARTY"

Como su nombre lo indica, el menú es de pizzas y cada invitado trae la suya para compartir con todos.

RECETA BÁSICA DE PIZZA

1 Estira la masa (que puedes comprar ya preparada en una panadería o en el supermercado) sobre un molde y acomoda encima rodajas de tomates/jitomates.

2 Espolvorea queso gruyère rallado o trocitos de mozarella y agrega aceitunas.

3 Cocina en horno caliente durante 20 minutos aproximadamente.

Juega a darle a tu pizza forma de flor, de sol, de corazón...

¡Inventa tus propias guarniciones!

UN CLAFOUTIS (PASTEL) DE JAMÓN

1 Aceita ligeramente un recipiente o molde para tarta y precalienta el horno a temperatura alta.

2 Mezcla en un bol o tazón los huevos, la harina, la leche, el queso gruyère, el jamón cortado en trocitos, una pizca de sal y pimienta.

NECESITAS:
- 1 litro y ½ de leche
- 3 huevos
- 3 rebanadas gruesas de jamón cocido
- 8 cucharadas soperas de queso gruyère rallado
- 6 cucharadas soperas de harina
- Sal
- Pimienta

3 Vuelca esta mezcla en tu recipiente y llévalo al horno durante 35 minutos. ¡Listo para comer!

NECESITAS:

- 1 disco de masa para tarta
- 3 zucchinis/calabacines pequeños
- 4 huevos
- 1 vaso de leche
- 1 cucharada sopera de crema de leche
- Sal
- Pimienta
- 1 ramito de hojas de menta
- Láminas de salmón ahumado

Tarta de colores

Cocina

1 Pela los zucchinis y córtalos en rodajas gruesas. Sumérgelos durante 5 minutos en una olla con agua hirviendo con sal, y retíralos con una espumadera.

2 Déjalos escurrir.

3 En un bol o tazón, bate los huevos, la leche y la crema. Añade la sal, la pimienta y las hojas de menta finamente picadas.

4 Cubre con la masa un molde o recipiente para tarta. Acomoda sobre ella las rodajas de zucchinis y cúbrelas con el batido de huevos, leche y crema.

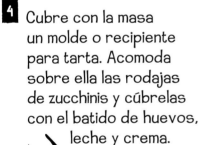

5 Cocina en el horno precalentado durante 35 minutos.

TARTA DE ATÚN

NECESITAS:

- 1 disco de masa para tarta
- 1 lata grande de tomates/jitomates pelados
- 1 lata grande de atún al natural
- 3 huevos
- 2 vasos de leche
- Sal
- Pimienta

1 Abre la lata de tomates, aplástalos con un tenedor hasta formar un puré y quita un poco del jugo.

2 Mezcla el puré con el atún desmenuzado, los huevos batidos, la leche, la sal y la pimienta.

3 Cubre un recipiente para tarta con tu masa y vierte la mezcla sobre ella.

4 Cocina en horno precalentado durante 35 minutos.

ANTES DE SERVIR, COLOCA LAS LÁMINAS DE SALMÓN AHUMADO SOBRE LA TARTA. ¡LA COMBINACIÓN DE ROSA CON VERDE QUEDA MUY BONITA!

¡Una repostera de primera!

Si quieres lucirte con deliciosos postres caseros, ten en cuenta estos trucos, que te resultarán muy útiles

UN MOLDE BIEN PREPARADO...

¡es el secreto para lograr un buen pastel! Unta un pedazo de manteca/mantequilla blanda del tamaño de una nuez en las paredes y el fondo de tu molde. Luego espolvorea un poco de harina y sacude para eliminar lo que sobre.

¿COCIDO?

Para saber si tu pastel está listo, introduce un cuchillo en el centro. Si la hoja sale limpia (¡no pegajosa!), ya está a punto.

¡Qué difícil, la separación!

A menudo es complicado separar la clara de la yema de un huevo. Para evitar que se mezclen, casca el huevo entero en un recipiente, y luego recupera delicadamente la yema con una cuchara sopera (o directamente con tu mano). Hazlo con mucho cuidado, pues puede romperse.

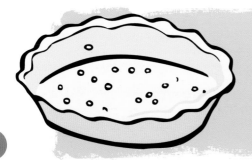

Tarta crocante

Si detestas que la masa de una tarta quede húmeda por el relleno, espolvoréala con un puñado de sémola antes de rellenarla: los pequeños granos absorberán el líquido.

CLARAS FIRMES

Cuando bates claras de huevo a punto nieve
con la batidora eléctrica, agrega una pizca de sal.
¡Se espesarán 2 veces más rápido!

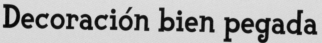

Decoración bien pegada

Para que la decoración de un pastel (trocitos de
chocolate o azúcar de colores) quede bien adherida,
cubre la superficie a decorar con miel o con
mermelada. ¡Un pegamento delicioso!

El horno, justo a punto

Tus pasteles quedarán más esponjosos si los cocinas
en el horno precalentado. Recuerda
encenderlo unos 15 minutos antes
de introducir tu postre en él.

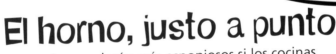

¡AL BAÑO, MARÍA!

Al chocolate y a la manteca/mantequilla
les gusta que los derritamos lentamente:
¡nada mejor para ello que el "baño María"! Vierte tus ingredientes
en una pequeña olla y coloca ésta dentro de una más grande,
en la que agregarás 3 vasos de agua. Lleva todo al fuego. Al calentarse,
el agua del recipiente grande fundirá el contenido del pequeño.

Variantes chocolatadas

Los postres más deliciosos contienen chocolate. Aquí tienes algunas recetas simples y muy sabrosas para deleitarte…

FONDUE DE FRUTAS CON CHOCOLATE

NECESITAS:
- 500 g (17 oz) de fresas
- 5 plátanos
- 3 manzanas
- 3 peras
- 1 racimo de uvas
- 4 kiwis
- 400 g (14 oz) de chocolate repostero/ cobertura
- 5 cucharadas soperas de crema de leche líquida
- 6 broquetas/palillos de brochette de madera, de 30 cm de largo

1 Lava todas las frutas y pela las manzanas, plátanos y kiwis.

2 Córtalas en rodajas o en cubos pequeños (puedes dejar las uvas y las fresas enteras).

3 Presenta todas las frutas juntas en una gran ensaladera, o por separado en recipientes distintos.

4 Derrite el chocolate y la crema a baño María (como se explica en la página 25); revuelve con una cuchara de madera hasta conseguir una consistencia aterciopelada.

5 Vierte la mezcla en un bonito recipiente y llévalo enseguida a la mesa. Si tienes una olla especial para fondue, mucho mejor, porque la mantendrá caliente.

¡A bañar las frutas en el chocolate!

salchichón de chocolate

NECESITAS:

- 400 g (14 oz) de chocolate repostero/cobertura

- 120 g (4 oz) de azúcar glas o impalpable
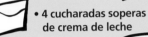
- 100 g (3 ½ oz) de manteca/mantequilla
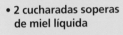
- 4 cucharadas soperas de crema de leche
- 2 cucharadas soperas de miel líquida
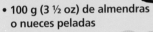
- 100 g (3 ½ oz) de almendras o nueces peladas

- Papel impermeable/encerado

1 Coloca en un bol o tazón la manteca y el chocolate en trozos, y fúndelos a baño María (como se explica en la página 25).

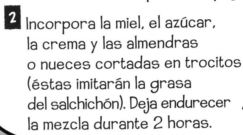

2 Incorpora la miel, el azúcar, la crema y las almendras o nueces cortadas en trocitos (éstas imitarán la grasa del salchichón). Deja endurecer la mezcla durante 2 horas.

3 Despega el bloque de chocolate del recipiente con la ayuda de un cuchillo. Colócalo sobre el papel encerado y amásalo para darle forma de salchichón.

4 Enrolla la hoja de papel alrededor de la masa y cierra el envoltorio pellizcando los extremos. Deja descansar durante 4 horas más en el refrigerador.

5 Desenvuelve el salchichón y rebózalo con un poco de azúcar glas o impalpable. Por último, córtalo en rodajas antes de servirlo.

¿COMERÍAS UNA RODAJITA?

Aprovecha tu energía

Si el ritmo de tu día es intenso (y no siempre coincide con tu "relojito interior"), es normal que te sientas cansada. Conoce cuál es el mejor momento para realizar cada una de tus actividades.

Tus células entran en calor

Tu organismo no es un robot súper eficiente durante las 24 horas: tiene altibajos a lo largo del día. Por ejemplo, de 10 a 11 y de 15 a 16.30, tu cerebro es más eficiente. ¿Por qué? Porque la temperatura corporal y el porcentaje de azúcar en la sangre están en su punto máximo en esos horarios, y esto favorece el funcionamiento cerebral.

7.30 horas

10 horas

11 horas

14 horas

15 horas

16.30 horas

Nada de estrés

En las primeras horas de la mañana y justo después del almuerzo, la hormona del estrés (que te permite estar atenta) está en su nivel más bajo. Además, al comienzo de la tarde la digestión te adormece. Por eso, es más conveniente dormir que resolver un problema de matemáticas en esos momentos del día.

¡Ni en sueños!

Para respetar tu "reloj interno", lo ideal sería que entraras a la escuela a las 9.30, estudiaras hasta el mediodía, descansaras hasta las 15 y retomaras el estudio hasta las 17.
No siempre es posible conciliar los ritmos de las actividades escolares con los del cuerpo. Pero si tú puedes hacerlo, ¡adelante!

Un suave despertar

"No te apresures al levantarte": ésa es la condición
para tener un día perfecto. Esta es una buena rutina para tus mañanas:

1 Cuando el reloj despertador suene, enciende
la lámpara de la mesa de noche. (Atención:
no es bueno utilizar un foco muy potente.
El cerebro necesita luz
para aumentar la producción
de serotonina, la hormona
que nos da vitalidad,
pero no desea para nada
que lo encandiles.)

2 Estírate para despertar
los músculos aún dormidos.

3 Inhala muy profundamente
3 ó 4 veces para almacenar
oxígeno; éste paseará
por todo tu cuerpo,
y así tus órganos
internos también
se despertarán.

4 Bebe un gran vaso
de agua para eliminar
las toxinas de la noche.

¿POR QUÉ BOSTEZAS?

Puede ser porque te aburres o porque estás
cansada. El bostezo es una señal que tu cerebro
envía cuando detecta que tu atención
disminuye. Al darle la orden a tu boca para
que bostece, permite que una gran bocanada
de oxígeno entre en tus pulmones. Esto
te devuelve la energía... al menos, por un tiempo.

5 ¡Hop! Salta de la cama.
¡Buen día a todos!

MMM... ¡QUÉ AROMA!

¿Quieres que te digan que siempre hueles delicioso? Hay un secreto: todas las mañanas perfúmate con tu propia agua de colonia.

El arte de perfumarse

No creas que debes «regarte» de pies a cabeza. Sólo vierte unas gotas en las partes más cálidas de tu cuerpo, por donde la sangre fluye más; así, el aroma se evapora bien y se siente intenso. Ingenioso, ¿no? Otro truco: perfuma también tu pelo.

Detrás de las orejas

Detrás de la nuca

En el lado interno de las muñecas

En la cara interna de los codos

Aceite delicado

Para tener una piel suave y que huela bien, fabrica un aceite corporal ideal para después de bañarte.

NECESITAS:
- 1 frasco de vidrio que cierre bien y que esté limpio
- 100 ml de aceite de almendras dulces
- 15 ml de aceite esencial natural (elige un aroma que te guste; puedes comprarlo en tiendas de productos naturales)
- Flores de lavanda secas
- Rafia o cintas de color

❷ Ábrelo para agregar las flores de lavanda y ciérralo nuevamente.

❶ Mezcla el aceite de almendras dulces y el aceite esencial en el frasco bien cerrado, agitando con fuerza.

❸ Decora el cuello del frasco anudando rafia o una cinta alrededor. ¡Listo! Ahora puedes usarlo o regalarlo.

Para oler bien

Te enseñaremos cómo preparar aguas aromáticas.
Es fácil, y huelen genial.

1 Mezcla el agua destilada
y el alcohol en la botella. Vierte
tu preparación en los 3 frascos
de vidrio, en proporciones
iguales.

NECESITAS:
- 500 ml de agua destilada
- 50 ml de alcohol a 90°
- 3 frascos pequeños (pueden ser de mermelada), bien lavados
- Pétalos de rosas, flores de lavanda y violeta
- Aceites esenciales de rosa, lavanda y violeta
- 1 botella limpia
- Pintura acrílica de colores rosa, lavanda y violeta
- Etiquetas adhesivas

2 Pon en remojo 5 pétalos
de rosa, en un frasco,
3 ó 4 flores de lavanda
en otro y unas 10
violetas en el tercero.
Mezcla para que
se impregnen bien.

3 Agrega unas gotas de
aceite esencial de cada
aroma en el frasco
correspondiente; luego,
ciérralos y déjalos
descansar por 8 días.

4 Pinta las tapas de color rosa, lavanda
y violeta. Escribe el nombre de cada
fragancia en las etiquetas y pégalas.

VARIANTE: Puedes también fabricar tu propio perfume
exclusivo mezclando las esencias, como por ejemplo,
bergamota con lavanda y un clavo de olor. Es un lindo regalo
para tu mamá o para una amiga.

Utiliza:

- el agua de rosa para el cuidado de la piel del rostro;

- el agua de lavanda para rociar tu almohada o perfumar tu baño (tiene propiedades relajantes);

- el agua de violeta como perfume para todo el cuerpo.

¡EMPECEMOS A SEMBRAR!

Herramientas, consejos, trucos: aquí tienes todo lo que necesitas saber antes de ponerte tu delantal de jardinera…

Materiales indispensables

1 pala para remover la tierra. Al cavar, el suelo se airea y puedes esparcir fertilizante y estiércol para enriquecerlo.

1 pico para cavar los pozos donde pondrás las plantas o las semillas.

1 plantador o pala jardinera para hacer pozos más pequeños, del mismo tamaño que las plantas.

1 regadera de 5 litros. Elige un modelo de punta fina para darles de beber a tus semillas o a tus plantas aún jóvenes y frágiles. Si quieres que el agua llegue hasta las raíces de tus protegidas, recuerda remover muy bien la tierra.

Para ser una excelente jardinera…

1 En la sección de jardinería del supermercado o la tienda encontrarás todo lo que necesitas (utensilios, semillas, plantas).

2 Cuando hayas terminado de trabajar en el jardín, ordena las herramientas y límpialas con un paño: si las dejas cubiertas de tierra, pronto se oxidarán y quedarán inutilizables.

3 No te olvides del riego; las plantas tienen sed… ¡pero no las ahogues!

4 Todos los jardineros se llevan sorpresas, para bien o para mal: la jardinería no es una ciencia exacta. Pero ¡qué genial cuando descubres nuevos brotes!

Y para comenzar por el principio...

1 pala trasplantadora

para manipular las plantas sin dañar las raíces.

1 azada
para airear la superficie de la tierra alrededor de las plantas que trasplantaste. Conviene hacerlo una vez por semana, para eliminar las hierbas malas y evitar que se forme una costra gruesa.

1 bolsa de abono orgánico

(estiércol), de 10 litros/kg.

1 bolsa de tierra fertilizada
(mantillo vegetal).

Hilo de cáñamo o rafia

para atar las plantas a sus tutores.

1 cuchara vieja o un tenedor

para remover la tierra en las macetas.

¿LAS HIERBAS SON "BUENAS" O "MALAS"?

Rebeldes, invasoras, resistentes: las hierbas malas son las enemigas del jardinero. Y sin embargo, no todas se merecen esa reputación.

¿Acaso las amapolas que crecen en los campos de trigo no inspiraron a los pintores? ¿Sabías que, antiguamente, las ortigas se utilizaban para hacer sopa?

¿Y quién no se pone feliz cuando encuentra un trébol de cuatro hojas?

Reinas del sabor

Cultiva tus propias hierbas aromáticas para saborizar tus comidas. ¿Y si también las regalas a tus vecinos y amigos?

UNA RONDA DE HIERBAS

Para tenerlas siempre a mano y enriquecer tus platos de vegetales.

NECESITAS:
- 3 macetas pequeñas de barro
- Arcilla o canto rodado
- Tierra fertilizada/ mantillo
- Tomillo, albahaca, ciboulette/cebollín (en almácigos)

1 Coloca una capa de arcilla o canto rodado en el fondo de tus macetas.

2 Agrega una fina capa de tierra fertilizada.

Tierra

3 Retira cada planta de su recipiente: dala vuelta y pégale unos golpecitos suaves en el fondo.

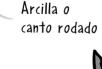

Arcilla o canto rodado

4 Coloca cada planta en una maceta y rellena con tierra fertilizada.

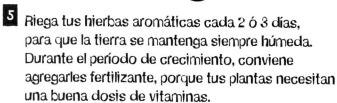

5 Riega tus hierbas aromáticas cada 2 ó 3 días, para que la tierra se mantenga siempre húmeda. Durante el período de crecimiento, conviene agregarles fertilizante, porque tus plantas necesitan una buena dosis de vitaminas.

Un jardín de fragancias

Mmmm... Las hierbas aromáticas perfuman los platos y las ensaladas. ¿Y si haces un pequeño jardín lleno de sabores?

NECESITAS:
- Plantas pequeñas de hierbas aromáticas: ciboulette/cebollín, albahaca, laurel, perejil...
- 1 bandeja grande y profunda
- 1 bolsa de tierra fertilizada/ mantillo
- Arcilla o canto rodado
- Palillos
- Etiquetas

Coloca tu bandeja cerca de la luz.

Riego: 2 veces por semana

Cosecha de a poco tus hierbas, y tendrán tiempo para renovarse.

Palillo con etiqueta para reconocer tus plantas

Raíces bien cubiertas de tierra

Tierra/mantillo (hasta tres cuartas partes aproximadamente)

Capa de canto rodado en el fondo de la bandeja

¡Atención! Si quieres plantar menta, tienes que colocarla sola en otra maceta, porque sus raíces ahogan a las de sus vecinas.

CONSEJITOS PARA USAR TUS HIERBAS

Un poco de ciboulette en tu tortilla de patatas, albahaca sobre tu ensalada... y tu comida es mucho más sabrosa. Aquí tienes algunas sugerencias:

Condimenta la carne de cordero con tomillo.

El perejil es una bonita decoración para todos los platos de vegetales.

La carne de ave y el estragón combinan de maravilla.

DISEÑO EXCLUSIVO

Crea tu propio estampado y fabrica
un pañuelo para la cabeza o el cuello.

PAÑUELO «GRANO DE CAFÉ»

NECESITAS:
- 1 cuadrado de tela blanca de 48 cm de lado
- Saquitos o bolsitas de té
- Goma EVA/Foamy
- Cartón
- Pegamento
- Pintura para tela de color marrón

Cómo teñir el pañuelo

En un bol o tazón, prepara una infusión
con agua muy caliente y 4 ó 5 saquitos de té;
déjalos durante 10 minutos y luego retíralos.
Sumerge la tela en el tazón, déjala 15 minutos
en remojo y se teñirá de color beige. Déjala secar
y plánchala (pide ayuda para hacerlo).

Cómo fabricar el sello

Recorta un pequeño óvalo
en la goma Eva y divídelo
en 2 mitades a lo largo.

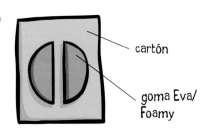

cartón

goma Eva/
Foamy

Pega ambas partes en un trozo de cartón,
dejando un espacio entre ambas.

Cómo estampar la tela

Aplica la pintura para tela sobre
el sello con un pincel fino, y presiona
sobre el pañuelo bien extendido,
para crear el diseño de "granos de café".
Deja secar.

4 maneras de usarlo

(Pliégalo en 2, formando un triángulo)

Nudo pirata

Nudo bandana o pañoleta

Anudado alrededor del cuello

Anudado alrededor de una cola de caballo

Pañuelo Trenzado

Las trenzas

NECESITAS:
- Cintas de 1 cm de ancho (varios colores)
- Hilo de bordar de color
- 1 pañuelo de fondo liso

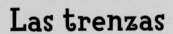

1 Corta 3 cintas de colores diferentes de 50 cm de largo.

2 Átalas juntas en un extremo con hilo de algodón y clávalas con un alfiler en la pared (o átalas al respaldo de una silla), para que estén bien sujetas en un extremo.

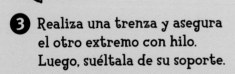

3 Realiza una trenza y asegura el otro extremo con hilo. Luego, suéltala de su soporte.

4 Haz 3 ó 4 trenzas del mismo modo, combinando los colores.

El peinado

Pliega el pañuelo en forma triangular y átalo a tu cabeza. Coloca las trenzas sobre el pañuelo y envuelve la cabeza con ellas. Átalas en la nuca.

¡Hasta los pies!

¿Sabías que tu look depende en gran parte de los zapatos? Es momento de renovar los tuyos…

GUILLERMINAS/ BALERINAS BORDADAS

Punto cruz

1 Para bordar las estrellas: introduce la aguja por el revés del zapato, y luego vuelve a pinchar un poco más arriba y a la derecha.

2 Sácala un poco más abajo y a la derecha, como se muestra en el dibujo.

3 Haz así toda una hilera.

4 Completa las cruces del mismo modo, pero en el sentido contrario. Anuda y corta el hilo.

5 Realiza del mismo modo todas las cruces que desees.

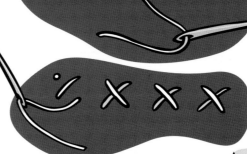

NECESITAS:
- 1 par de guillerminas/ balerinas de pana o terciopelo negro
- Hilo de bordar blanco
- 1 aguja

Punto hilván

Pasa la aguja hacia arriba y hacia abajo de la tela haciendo puntadas del mismo largo.

• Borda alrededor de la abertura, en forma de pespunte.

• Con la misma técnica, pero haciendo las puntadas una al lado de la otra en forma vertical, borda la tira de sujeción.

MODELO ABEJA

Pinta tus tenis de color amarillo fuerte. Una vez seca la pintura, traza rayas negras.
Dibuja 2 ojos, y antenas.

MODELO FLÚO

Tiñe las zapatillas de un color vivo. Reemplaza los cordones o agujetas por 2 cintas de color flúo.

Modelo de payaso

Primero pinta tus tenis de blanco. Haz círculos grandes y pequeños de diversos colores. Colócales cordones o agujetas de diferentes tonos.

¡TRANSFORMA TUS VIEJAS ZAPATILLAS/TENIS!

NECESITAS:
- Pintura blanca
- Pintura para telas (azul, roja, verde, amarilla, negra)
- Cintas de color flúo
- Cordones/agujetas de colores diferentes

Modelo auto

Pinta tus zapatillas de blanco y conviértelas en autos dibujando los faros y el capó adelante.

calcetines exclusivos

NECESITAS:
- 1 par de calcetines cortos
- 12 botones pequeños de formas y colores variados
- Hilo
- 1 aguja

Busca unos lindos botones para renovar tus calcetines

Cose 6 botones sobre el borde de cada calcetín. Ten cuidado para que no se cierren las aberturas.

También puedes usar la misma técnica para decorar un gorro o boina.

BOLSOS PARA TODOS

Confecciona divertidos bolsos de mano con bolsas de papel. ¡Puedes hacer uno para cada día de la semana!

Elige bolsas de tamaños diferentes (especialmente de zapaterías, pues son más resistentes).
Pinta con pintura acrílica blanca o negra las que vienen estampadas, antes de decorarlas.

VERSIÓN DE ENCAJE

NECESITAS:
- Pegamento para papel
- Blondas o puntillas de papel
- Barniz
- 1 perforadora de papeles
- 1 cinta blanca de 10 mm de ancho

1 Pega las blondas o puntillas de papel con el pegamento sobre la bolsa, superponiéndolas. Deja secar.

2 Aplica una capa de barniz.

3 En la parte superior, haz orificios con la perforadora todo alrededor.

4 Pasa la cinta por los agujeros y luego anuda los extremos con un moño.

5 Cubre con pegamento las asas y enrolla la cinta blanca alrededor de ellas.

VERSIÓN CAMUFLADA

NECESITAS:
- Papel de seda o papel China (verde, marrón y naranja)
- Pegamento para papel
- Barniz

1 Rasga los papeles con tus dedos en pedazos de diferentes tamaños.

2 Cubre la bolsa con pegamento y luego pega los trozos superponiéndolos, para imitar un diseño "camuflado". Deja secar.

3 Aplica una capa de barniz.

LOS DÍAS

VERSIÓN GOLOSA

Accesorios

NECESITAS:
- Catálogos publicitarios de supermercados
- Pegamento para papel
- Barniz
- Cinta o listón de terciopelo negro

① Recorta de los catálogos diversos logotipos de marcas de golosinas.

② Coloca pegamento para papel sobre los motivos recortados y aplícalos en la bolsa. Deja secar.

③ Aplica una capa de barniz.

④ Pon pegamento sobre las asas y enrolla la cinta de terciopelo alrededor de ellas.

VARIANTE:
También puedes hacer un bolso floreado con fotos recortadas de catálogos de jardinería.

Tu pequeño amuleto

Ármalo y cuélgalo de tu bolso antes de salir de paseo.

1 Recorta en fieltro rojo un rectángulo de 4 x 8 cm. Pliégalo por la mitad y cose los bordes de 3 lados. No cierres todo el cuadrado.

2 Recorta un círculo de 3 cm de diámetro en fieltro naranja. Divídelo en 2 mitades con un corte curvo, como se ve en el dibujo. Cose una lentejuela en cada parte. Pega los motivos en el centro del cuadrado rojo.

3 Llena el amuleto con una bolsita de canela en polvo y cose el borde que había quedado abierto. Haz una lazada con hilo de bordar o cordón de gamuza, y cósela en una esquina del cuadrado para hacer un asa.

4 Fabrica un pompón enrollando hilo de bordar o cordón de gamuza violeta sobre un rectángulo de cartón. Corta los hilos en la parte inferior y ata la parte superior.

5 Pasa otro hilo por el pompón y enhebra unas perlas en él. Cose el conjunto a una de las esquinas del cuadrado (la opuesta a la que tiene el lazo).

Tu pequeña fábrica

Crea tus propios modelos con materiales que puedes comprar en una tienda o fabricar tú misma.

¡ES UNA JOYA!

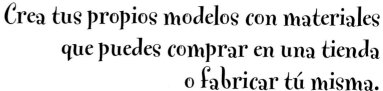

Puedes comprar las cuentas que más te gusten (mostacillas, bolitas facetadas, nacaradas o de cerámica) o utilizar botones, pequeños caracoles...

También puedes hacer:

• Cuentas modeladas con arcilla.

• Cuentas naturales hechas con piedras, trozos de madera, vidrio pulido, rodajas de corchos, semillas secas de melón o de sandía, plumas…

• Cuentas flexibles de tela, fieltro, goma EVA/Foamy…

LOS BROCHES PARA ARETES

Existen diferentes tipos que puedes conseguir:

• Gancho con cierre

• Gancho simple

• Pasante o mariposa

de joyas

LOS HILOS

Para usar con broche:
- Hilo de nylon o tanza

Para usar sin broche:
- Hilo elástico redondo
- Alambre de latón

Para atar:
- Cordón de cuero

Cómo utilizarlo para colgar un dije:
Enhebra el dije y ata tu cordón con nudos
corredizos. Para ello, anuda cada extremo
del lazo alrededor del opuesto. Ajusta bien los nudos,
y luego corta los hilos muy cerca de aquéllos.

- Cinta o listón de satén o raso
- Rafia
- Cordón de lino o gamuza

LOS BROCHES PARA COLLARES Y BRAZALETES

Diferentes tipos:

- Broche tambor (a rosca)

- Broche resorte

- Broche mosquetón o perico

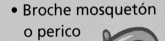

Cómo colocar un broche:

Ensarta una arandela para aplastar,
luego enhebra el broche y vuelve a pasar el hilo
por la arandela. Aplástala con una pinza
y el hilo quedará bien sujeto.

Coloca el extremo del hilo sobre un tope metálico
y aplasta un lado de éste con una pinza; luego
aplasta el otro lado por encima del primero,
bien ajustado. Abre el anillo del broche,
engánchalo en el tope y ciérralo.

¡UN SINFÍN DE

Aquí tienes ideas muy fáciles de realizar

Espiral

Recorta en fieltro 4 tiras de 2 colores diferentes (2 de cada color) de 5 mm de ancho. Pégalas de a pares, una encima de la otra, y enróllalas sobre sí mismas en forma de espiral. Sujétalas con una gota de pegamento. Pega cada espiral en una base para aretes tipo "clip".

Arte pop

Recorta en goma EVA/Foamy 6 círculos de 3 tamaños y colores distintos. Pégalos de a 3, uno sobre otro, haciendo coincidir sus centros. Por último, sujétalos en las bases tipo "clip" con pegamento.

Floreado

Recorta 4 flores de tela de jean de 2 tamaños. Cóselas de a pares (una grande y una pequeña), superpuestas, fijando una lentejuela en cada centro. Pégalas en las bases tipo "clip".

Escolar

En un cartón rígido, recorta 2 cuadrados y 2 triángulos. Pega papel cuadriculado de cuaderno sobre ambas caras de cada figura. Una vez seco el pegamento, aplica una capa de barniz y deja secar nuevamente. Haz un agujero en la base de cada cuadrado y en la parte superior de cada triángulo. Únelos con eslabones de empalme, como ves en el dibujo. Haz otro agujero en la parte superior de cada cuadrado para pasar por ellos los ganchos (simples o con cierre).

Metálico

Desarma 2 clips grandes para papeles, como se ve en el dibujo. Ensarta cuentas en ellos y fíjalas con gotas de pegamento. Aprieta con una pinza los ganchos (simples o con cierre) alrededor del alambre de los clips.

Popurrí

Enhebra en cada gancho bandas o ligas elásticas de diferentes tamaños y colores.

ARETES!

Chic

Aplasta 2 tapas de botellas de latón. Píntalas de color dorado y pégales una piedra de fantasía en cada centro. Adhiérelas a las bases tipo clip.

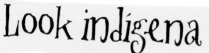

Look indígena

Haz una lazada con un pedazo de alambre de latón. Pasa por ella los extremos de 2 plumas pequeñas, ajusta el alambre y enhébralo en un anillo pequeño. Inserta el anillo en el gancho para aretes. Procede del mismo modo para completar el par.

Artista

Recorta 2 rombos en madera balsa. Con un pincel, haz manchas de pintura de diversos colores, para que parezcan paletas de pintor. Agujerea las puntas con un compás para pasar por allí los ganchos.

NECESITAS:
- Alambre galvanizado de 1 mm de diámetro
- Hilo metálico sin níquel
- Cuentas de vidrio transparentes
- 2 bases de aretes sin níquel
- 1 alicate de corte

NoCHe estrellaDa

Patrón tamaño real

1 Reproduce la estrella en una hoja de papel.

2 Dobla el alambre siguiendo la marca de la estrella y termina con una espiral (ayúdate con una pinza). Corta el alambre que sobra. Haz 2 estrellas iguales.

3 Enrolla el hilo metálico alrededor de cada estrella en las bases de las espirales.

4 Con el mismo hilo, teje como una tela de araña alrededor de las puntas de las estrellas. Ensarta, de tanto en tanto, una cuenta de vidrio.

5 Sujeta las espirales en los ganchos para aretes.

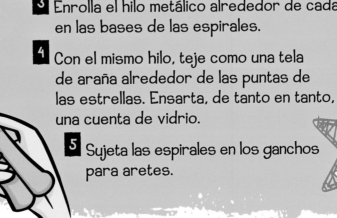

Un brazalete para cada día

Crea 7 brazaletes diferentes, uno para cada día de la semana. ¡También puedes lucirlos todos juntos!

Instrucciones básicas

1 Corta un trozo de manguera (de 4 mm de diámetro) un poco más grande que el contorno de tu muñeca, como para que puedas ponerte el brazalete sin necesidad de abrirlo.

2 Tapa un extremo con un poco de masa de modelar.

3 Introduce en la manguera diferentes elementos (puedes ayudarte con el palito de brochette), y luego tapa el extremo con otro pedacito de masa de modelar.

4 Ensambla los 2 extremos del brazalete con un trozo pequeño de manguera de 6 mm de diámetro.

NECESITAS:
- 2 mangueras transparentes de plástico flexible, de 4 y 6 mm de diámetro (puedes conseguirlas en una tienda de bricolaje)
- Masa para modelar que seque al aire libre
- Cuentas
- Semillas
- Rafia
- Tinta
- Papel picado o confeti
- Lentejuelas
- Hilo de algodón para bordar
- Arena
- 1 palito para brochette
- 1 jeringa

Variantes

Con papel picado o confeti

Usa un palito de brochette para empujar los trocitos de papel en el interior de la manguera.

¡Muy alegre!

CON ARENA

Con un rallador de cocina, reduce a polvo una tiza o gis de color. Mézclala con arena y llena el brazalete.

¡MUY PLAYERO!

CON SEMILLAS

Coloca granos de mostaza, semillas de anís, arroz u otros...

¡Muy natural!

con rafia

Enrosca 3 hebras de rafia e introdúcelas. Envuelve el cierre con más hebras.

¡Muy rústico!

Con cuentas multicolores

Enhébralas en un hilo como si se tratara de un collar; luego, mete el conjunto en la manguera.

¡Muy divertido!

¡Muy chic!

Con cordón

Realiza una trenza con hilo de algodón para bordar y deslízala dentro del brazalete.

Con glitter o brillantina

Mezcla agua con algunas gotas de tinta. Vierte el líquido con una jeringa dentro de la manguera, y agrega brillantina para que flote.

¡MUY MODERNO!

Mima tu melena

Para poder hacerte bonitos peinados, es importante cuidar tu pelo. Te enseñaremos todos los tips para tenerlo siempre impecable.

1 LAVADO

Empieza mojando el cabello. Vierte una pequeña cantidad de champú en la mano y extiéndela por toda la cabeza. Agrega un poco de agua para hacer espuma, y masajea bien.

¡Atención! No conviene frotar con demasiada fuerza, porque el sebo del cuero cabelludo emergerá por los poros y tu pelo se engrasará.

2 Enjuague

Retira el champú con abundante agua hasta que el pelo cruja entre tus dedos. Si no eres demasiado friolenta, termina con un chorro de agua fría para obtener más brillo.

¿TIENES EL CABELLO GRASO?

Agrega el jugo de un limón en el agua del último enjuague.

¿TU PELO SE VE OPACO?

Unas gotas de vinagre le darán brillo.

¿TU CABELLO ES DÉBIL?

Enjuágate con un vaso de cerveza y un poco de limón (para disimular el olor de la cerveza).

3 SECADO

Elimina el exceso de agua de tu pelo con una toalla. Cuando puedas, déjalo secar al aire libre. Si el clima no lo permite, utiliza un secador de cabello a temperatura tibia, a una distancia de 20 cm, para no quemarlo.

4 CEPILLADO

Es importante elegir bien el peine o cepillo de acuerdo con el tipo de pelo:

Peinados

Para cabellos lacios, opta por un cepillo plano y ancho.

Para cabellos con frizz, es preferible un cepillo de madera con cerdas de jabalí.

Para cabellos rizados, elige un peine con dientes largos y empieza a desenredar siempre por las puntas.

Para cabellos demasiado lacios, utiliza un cepillo redondo con puntas protegidas y seca el pelo con tu cabeza hacia abajo para despegar las raíces.

S.O.S., PELO SECO

¿Tienes el cabello quebradizo? Para que resista los ataques del sol y del viento, es aconsejable nutrirlo.

Antes de lavar con champú, aplica un poco de aceite de oliva. Cubre tu cabeza con una toalla vieja y deja actuar el aceite durante 30 minutos. Enjuaga con abundante agua caliente y, por último, lava con champú. ¡Efecto sedoso garantizado!

ACCESORIOS PARA

Aquí encontrarás exclusivos modelos de hebillas o broches que podrás lucir con tus peinados

MODELO ESTRELLADO

1 Pinta tu base con la pintura plateada y déjala secar hasta el día siguiente.

2 Pega las cuentas alternando una estrella con una luna.

NECESITAS:
- 1 base metálica de hebilla o broche francés
- Pintura plateada
- Cuentas plateadas con forma de estrellas o de lunas
- Pegamento fuerte para metales

NECESITAS:
- 1 base metálica de hebilla o broche francés
- 3 tapas metálicas de sidra (o de champaña)
- Masa para modelar que seque al aire libre
- Pegamento líquido multiusos
- 1 lima de uñas
- 1 trozo de cartón de 3 mm de espesor
- Tijera
- Pintura acrílica de 3 colores combinables: por ejemplo, rosa, lila y violeta.

MODELO METÁLICO

1 Rellena las 3 tapas con la masa para modelar. Alisa con la lima de uñas y deja secar.

2 Retira con cuidado la masa de las tapas. Vierte una gotita de pegamento en el fondo de cada una y vuelve a introducir las formas moldeadas, apretando bien fuerte durante unos segundos hasta que se peguen.

3 Recorta un rectángulo de cartón del mismo tamaño que la parte superior de la hebilla. Píntalo con el color más claro y pégalo sobre la base.

4 Pinta las tapas, una de cada color, y pégalas sobre el cartón.

TU PELO

MODELO FLOREADO

NECESITAS:
- 1 catálogo o revista de jardinería
- Tijera
- Pegamento blanco
- Glitter/brillantina
- Barniz
- 1 hebilla o broche grande
- 1 pincel

1 Recorta pequeñas flores de un catálogo o revista.

2 Con el dedo, extiende el pegamento blanco sobre el dorso de tus recortes y recubre toda la hebilla con ellos.

3 Repliega las flores hacia la parte inferior de la hebilla para esconder los bordes. Corta el papel sobrante. Deja secar.

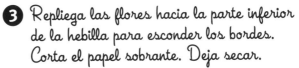

4 Con el pincel, cubre los recortes con una capa de barniz. Deja secar y luego dale otra capa.

Tip

Después de haber pasado el barniz y antes de que se seque, esparce una lluvia de glitter/brillantina. Durante el secado, se pegará. Puedes hacer más modelos con otros recortes (peces, mariposas...).

PEINADOS INTERNACIONALES

Nuestras amigas de Jamaica y de Japón nos enviaron fotos de sus peinados favoritos. ¡Son muy divertidos! ¿Cuál prefieres?

EL PEINADO «RASTA»

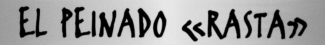

1 Forma una raya en zigzag con el peine, para dividir tu cabellera en dos mitades.

2 Toma unos mechones gruesos a cada lado de la cara e imprégnalos de gel fijador.

3 Retuerce cada mechón entre los dedos, desde la raíz hasta las puntas. Aplica más gel para mantener la forma.

4 Toma hebras largas de lana y deshiláchalas con los dedos.

NECESITAS:
- Gel fijador fuerte
- Lana/estambre

5 Envuelve las hebras alrededor de cada mecha retorcida, desde la raíz hasta la punta.

6 Termina con un nudo para sujetar el extremo de la lana.

Puedes cubrir toda tu cabellera con estas mechas o dejar sólo algunas.

EL PEINADO "GEISHA"

Los palillos

1 Pide a un adulto que serruche los mangos de los pinceles, encima de la parte metálica (sólo utilizarás la parte de madera).

NECESITAS:
- 2 mangos de pincel de madera
- Arcilla para modelar roja
- Mostacillas o cuentas pequeñas irisadas
- Pintura acrílica negra

2 Moldea la arcilla formando 2 cordones finos de aproximadamente 8 cm de largo.

3 Enrolla cada cordón en el extremo de un pincel, empezando por el borde serruchado (cubre esa parte para que no se vea).

4 Hunde ligeramente las mostacillas o cuentas pequeñas en la arcilla antes de que se endurezca.

5 Si la arcilla que utilizas es para endurecer en el horno, hazlo siguiendo las instrucciones del fabricante.

6 Pinta de negro los palillos de madera.

El peinado

Peina el cabello tirándolo hacia atrás y átalo en una cola de caballo alta. Enróllala formando un rodete y sujétalo con horquillas o pasadores.

Pincha los palillos a cada lado del rodete, cruzándolos.

Juega con la luz

Vamos a realizar algunos experimentos basados en este complejo fenómeno llamado "luz". ¡Abre bien los ojos!

A esta tinta invisible se la llama "cálida" porque requiere de una fuente de calor para hacerse visible.

Mensaje cálido

Moja un mondadientes con jugo de limón o vinagre y escribe un mensaje para tu amiga sobre una hoja de papel. Al secarse, quedará invisible. Para poder leerlo, ella deberá poner el papel sobre una fuente de calor: una estufa o un foco de luz encendido, por ejemplo.

Para que tus mensajes sean aún más "secretos", prueba escribirlos usando alguno de estos códigos:

MENSAJE INVERTIDO

Imita al pintor Leonardo Da Vinci, el gran artista italiano del Renacimiento, que escribía sus textos de derecha a izquierda. Para leerlos, tienes que ponerlos delante de un espejo. ¿Qué lees aquí?

ƨɒǫimɒ ƨim noɔ

Desórdenes alfabéticos

Reemplaza cada letra por la que le sigue en el alfabeto: A por B, B por C, ¿y la Z? Obviamente, por la A. ¡Ahora, prueba a descifrar nuestro mensaje!

UPQ TFDSFU

También puedes hacer una frase cambiando de ubicación las palabras según el orden alfabético. ¡Prueba a ordenar este mensaje!

CÓDIGO INVENTÓ LULÚ SECRETO UN

A ESCALA SOLAR

¿Necesitas calcular la altura de un árbol? Esta técnica puede servirte...

Elige un árbol aislado y un momento del día en que su sombra se proyecte sobre el suelo, es decir, por la mañana o al final de la tarde.

1 Clava al lado del tronco un palo bien derecho (por ejemplo, uno de escoba).

2 Mide el largo de la sombra del palo y el de la del árbol con una cinta métrica o regla larga.

3 Multiplica el largo de la sombra del árbol por el largo del palo; luego, divide el resultado obtenido por el largo de la sombra del palo. ¡El resultado será la altura del árbol!

UN ARCO IRIS EN UN VASO DE AGUA

Ya no tienes que esperar la lluvia...

NECESITAS:
• 1 vaso transparente lleno de agua
• 1 hoja de papel grueso blanco

1 Elige un momento en que el sol entre por una ventana y ubica un banquito justo delante de ella.

2 Coloca el vaso lleno de agua sobre el banquito de modo que los rayos del sol lo atraviesen.

3 Pon la hoja de papel en el piso, detrás del banquito. ¡Aparecerá un arco iris sobre ella!

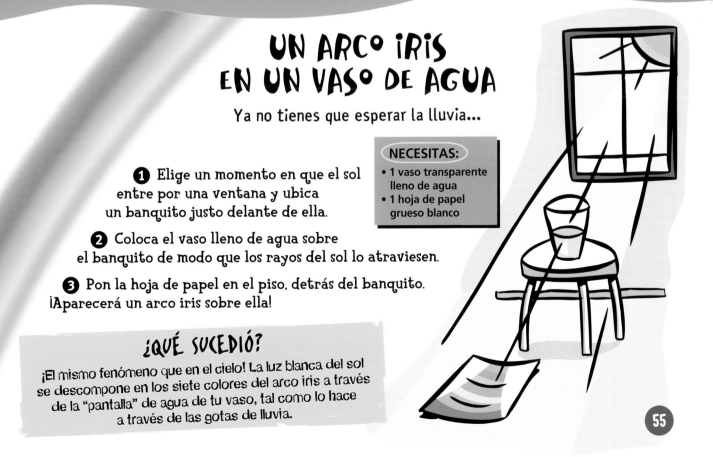

¿QUÉ SUCEDIÓ?

¡El mismo fenómeno que en el cielo! La luz blanca del sol se descompone en los siete colores del arco iris a través de la "pantalla" de agua de tu vaso, tal como lo hace a través de las gotas de lluvia.

Experimentos Sonoros

Te enseñaremos algunos trucos para entender cómo funciona la emisión y la recepción de los sonidos.

RUIDOS Y DECIBELES

En las ciudades, vivimos en un ambiente muy ruidoso sin darnos cuenta. La intensidad del sonido se calcula en *decibeles*:

- un murmullo equivale a 30 decibeles;

- el ambiente de un bar, a 80 decibeles;

- UN MARTILLO NEUMÁTICO, A 120 DECIBELES.

Los sonidos que superan los 140 decibeles afectan a nuestros oídos. Pero un ruido constante de 80 decibeles también hace daño, en forma progresiva. Esto no sólo es peligroso para nuestro sistema auditivo sino que además provoca estrés, ya que el ruido produce vibraciones que aceleran el ritmo cardíaco y la respiración.

¡NO A LOS OÍDOS SORDOS!

Las células nerviosas de tus oídos no se reproducen. Si el ruido las lastima, el daño es irreparable. ¿Cómo protegerlas?

No pases todo el día escuchando música con tus auriculares puestos; dos horas diarias es el tiempo máximo recomendado.

Baja el volumen de tu reproductor de música; si la persona que está cerca de ti lo escucha aunque uses auriculares, es porque está demasiado alto. Cuando encuentres el nivel justo, no lo cambies.

Regálale momentos de descanso a tus oídos. Luego de una fiesta o de un concierto, recuéstate en tu cama y escucha... el silencio.

Tímpano falso

Sólo puedes ver la parte exterior de tus orejas, por donde entran los sonidos. En el interior se encuentra el tímpano, una especie de tambor minúsculo al que los ruidos hacen vibrar. Puedes comprender este fenómeno si fabricas un "tímpano falso".

NECESITAS:
- 1 bolsa de plástico
- 1 lata de conservas vacía y limpia
- 1 banda o liga elástica
- 1 puñado de arena
- 1 cuchara y un objeto metálico, por ejemplo, otra lata

1 Recorta en el plástico un cuadrado de 20 x 20 cm.

2 Colócalo sobre la abertura de la lata y átalo enrollando la banda elástica alrededor. Debe quedar tenso como un tambor.

3 Vierte la arena sobre el plástico.

4 Golpea la cuchara contra el objeto metálico, bien cerca de la arena.

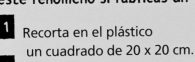

¿Qué observas?

La arena salta al mismo tiempo que tú golpeas: el sonido que produces hace vibrar el tímpano falso de plástico. ¡Lo mismo sucede dentro de tus oídos!

¡Alboroto en el océano!

¿Cómo hacen las ballenas para comunicarse a kilómetros de distancia? Para saberlo, prueba este experimento.

NECESITAS:
- 2 globos inflables
- Agua

1 Infla el primer globo y átalo para que no se desinfle.

2 Coloca el segundo globo debajo del grifo y llénalo con agua. Tiene que quedar del mismo tamaño que el primero. Átalo también.

3 Apoya los dos globos en una mesa. Golpéala suavemente con la mano y, mientras lo haces, acerca tu oreja al primer globo para escuchar el ruido de los golpes. Haz lo mismo acercándote al segundo globo.

¿Qué compruebas?
Percibes mejor el sonido a través del globo lleno de agua.

¿Por qué sucede esto?
Para que podamos escuchar sonidos, éstos deben hacer vibrar las moléculas que nos rodean. Las del aire están bastante alejadas unas de otras, mientras que las de agua están mucho más cerca entre sí; por eso, las vibraciones sonoras se transmiten con más facilidad en el agua que en el aire.

Pijama Party

Aquí tienes algunos tips para organizar una exitosa «pijamada», la fiesta ideal para una noche con amigas.

La invitación-almohada

Busca cuadrados de tela rayada, papel de color rosa, algodón o guata y cintas de color.

1 Recorta una forma de osito en papel rosa. Escribe todos los datos de la fiesta en él: dirección, horario, qué deben traer tus invitadas (pijama, bolsa de dormir, cepillo de dientes, pasta dental y sus películas preferidas).

2 Haz un cilindro de algodón o guata que pondrás en la cabeza del osito.

3 Enrolla tu invitación alrededor del cilindro y sujétalo bien con cinta adhesiva.

4 Envuelve tu pequeña almohada con la tela y cierra los extremos con cintas de colores.

UN AMBIENTE CONFORTABLE

Busca la mayor cantidad posible de muñecos de peluche (tus hermanitos o hermanitas pueden prestarte los suyos) para fabricar un pequeño zoológico muy mullido.

Distribuye con cuidado algunas velas en la habitación: elige las pequeñas, que puedes poner a flotar en recipientes con agua.

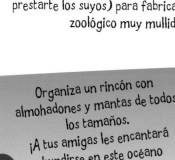

Organiza un rincón con almohadones y mantas de todos los tamaños. ¡A tus amigas les encantará hundirse en este océano de suavidad!

La guerra de almohadas

Cuelga del techo lunas y estrellas brillantes.

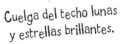

Antes de comenzar una guerra de almohadas, toma algunas precauciones: quita los cuadros de las paredes y esconde los objetos frágiles: floreros y adornos de todo tipo. Apaga las velas y deja sólo una lámpara de mesa encendida.

RECETA DE POPCORN

Para disrutar más de las películas que han traído tus invitadas... preparen palomitas de maíz. No hay nada más simple: sólo necesitas un paquete de granos de maíz, aceite, mantequilla y azúcar o sal.

1 Vuelca un poco de aceite en una sartén u olla pequeña. Añade un grano de maíz. Tapa y deja que el aceite se caliente en el fuego.

2 Cuando el grano "explote", el aceite estará lo suficientemente caliente y podrás agregar el resto del maíz. Tapa bien la sartén para que los granos no salten por toda la cocina.

3 Cuando ya no escuches más "explosiones", apaga el fuego. Agrega mantequilla derretida, espolvorea con azúcar o con sal y mezcla bien. Por último, calienta las palomitas durante 2 ó 3 minutos más. ¡Listo!

COMO EN HOLLYWOOD

Después de la guerra de almohadas, pueden descansar viendo las películas y degustando las palomitas de maíz. ¿Y por qué no organizar un jurado, como en los premios Oscar? Cada una elige la mejor actriz, el mejor actor, la película preferida, los trajes más hermosos, y entrega sus propios Oscars imaginarios. Para terminar, nada mejor que un brindis con un rico chocolate caliente.

Fiesta campestre

Cuando lleguen los días de sol, organiza una fiesta en el parque o jardín con todas tus amigas y disfruten de juegos al aire libre

¡SONRÍAN, VASOS!

Vasos personalizados

Dibuja una cara en cada vaso de plástico con marcadores indelebles de diferentes colores; pégales una etiqueta a cada uno con los nombres de tus invitados, para que todos reconozcan sus vasos.

Un mantel de fiesta

Consigue un mantel grande de papel blanco, cúbrelo con pegamento en aerosol y lanza papel picado o confeti sobre él. Déjalo secar. ¡Listo!

Fabrica medallas

Coloca un vaso boca abajo sobre un cartón. Marca el contorno con un lápiz para obtener un círculo y recórtalo. Haz un agujero pequeño en la parte superior de cada círculo. Pinta las medallas de dorado, de plateado y de marrón (para imitar el bronce), y colócales las cintas a través de los agujeros, para poder colgarlas. ¡Ya tienes listos los premios para las ganadoras de los juegos!

Ding
Ding

JUEGO: La reina de los cangrejos

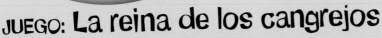

Engancha broches /pinzas para colgar ropa en las espaldas de tus amigas. Cada una tendrá un recipiente en sus manos. Al dar la señal de comienzo, todas correrán para desprender las pinzas de las demás. Aquella que haya logrado juntar más en su recipiente, se convertirá en la reina de los cangrejos.

JUEG°:

LA LOTERÍA DE LOS AROMAS

Recoge flores perfumadas, un poco de musgo, cortezas de árbol... Cada una de tus amigas se tapa los ojos, inhala profundamente y trata de adivinar a qué corresponde cada aroma. ¡Tal vez noten que les falta ejercitar un poco el olfato!

Fiestas

JUEG°:

GLOBOS DE COLORES

Cada amiga elige un color. La primera jugadora lanza un globo al aire y grita el nombre de un color. La que había elegido ése debe atrapar el globo antes de que caiga, y luego soltarlo, nombrando un nuevo color. Las que no atrapan el globo quedan eliminadas.

Juego: El hada Campanita

Todas tus amigas se vendan los ojos, salvo una, que lleva una campanita colgada del cuello.
El juego consiste en atrapar al hada Campanita localizándola gracias al ruido que hace al moverse. ¡Aquella que la atrapa se convierte, a su vez, en hada!

Índice

Decoración

Moda y look

Belleza

Cocina

Jardinería

Accesorios

Bijou

Peinados

Experimentos

Fiestas

¡Tu opinión
es importante!
Escríbenos un e-mail a
miopinion@libroregalo.com
con el título de este libro
en el "Asunto".